Les Éditions du Boréal
4447, rue Saint-Denis
Montréal (Québec) H2J 2L2
www.editionsboreal.qc.ca

La Machine à manger
les brocolis

DU MÊME AUTEUR
CHEZ LE MÊME ÉDITEUR

Le Peuple fantôme, 1996.

Le Rêveur polaire, 1996.

Chasseurs de rêves, 1997.

L'Œil du toucan, 1998.

Le Chien à deux pattes, 1999.

CHEZ D'AUTRES ÉDITEURS

Une vie de fée, Michel Quintin, 1996.

L'Argol et autres histoires curieuses, Michel Quintin, 1997.

L'Assassin impossible, Hurtubise HMH, 1997.

L'Araignée souriante, Hurtubise HMH, 1998.

Piège à conviction, Hurtubise HMH, 1998.

Sang d'encre, Hurtubise HMH, 1998.

Serdarin des étoiles, Pierre Tisseyre, 1998.

Silence de mort, Héritage, 1998.

Terra Nova, Michel Quintin, 1998.

Wlasta, Pierre Tisseyre, 1998.

Zone d'ombre, Hurtubise HMH, 1999.

Le Collectionneur de vents, Pierre Tisseyre, 1999.

Le Mouton carnivore, Michel Quintin, 1999.

Série grise, Hurtubise HMH, 2000.

Laurent Chabin

La Machine à manger les brocolis

illustrations de Pierre Pratt

Boréal

Les Éditions du Boréal remercient le Conseil des Arts du Canada
ainsi que le ministère du Patrimoine et la SODEC pour
leur soutien financier.

Diffusion au Canada : Dimedia
Distribution et diffusion en Europe : Les Éditions du Seuil

Données de catalogage avant publication (Canada)

    Chabin, Laurent, 1957-

    La Machine à manger les brocolis

    (Boréal junior ; 66)

    Pour les jeunes de 10 à 12 ans.

    ISBN 2-7646-0030-5

    I. Pratt, Pierre. II. Titre. III. Collection.

PS8555.H17M32	2000	jc843'.54	C00-940012-5
PS9555.H17M32	2000		
PZ23.C42Ma	2000		

1

BROCOLIS ET CROTTES DE NEZ

Dans la cour de récréation, tout le monde fait cercle autour de Ludovic. C'est une habitude. Chaque lundi matin, à l'école, Ludovic raconte les blagues que son grand frère lui a apprises pendant la fin de semaine.

Elles ne sont pas toujours très convenables, bien sûr, mais c'est aussi pour ça qu'elles ont chaque fois le même succès.

— Est-ce que vous connaissez la dernière ? demande-t-il à l'assistance. Quelle est la différence entre les brocolis et les crottes de nez ?

Personne ne répond, mais tous se préparent à rigoler parce que Ludovic, on le connaît : quand il pose une question pareille, c'est qu'il va en raconter une bien bonne.

Sylvie, en particulier, adore ces histoires. Elles la font rire, tellement rire que parfois, après la récréation, elle continue de rire pendant la classe et qu'elle se fait punir. C'est assez ennuyeux mais elle n'y peut rien, c'est plus fort qu'elle.

— Alors ! dit Ludovic en jetant un regard vainqueur sur l'assistance. Personne ne sait ?

— Non, on ne sait pas, Ludo. Allez, dis-nous…

— Eh bien, c'est facile, pourtant. Les crottes de nez, les enfants adorent les manger. Mais pas les brocolis !

Et Ludovic, donnant le signal, éclate lui-même d'un rire sonore et un peu forcé. Sacré Ludo ! C'est le délire ! Tout le monde est plié en deux, riant aux larmes. Tout le monde, sauf Sylvie…

Contrairement à son habitude, Sylvie n'a pas l'air de trouver ça drôle du tout. Au milieu de l'hilarité générale, elle fait la grimace.

Les plaisanteries de Ludovic ne l'amusent donc plus? Est-elle de mauvaise

humeur? Ou bien en a-t-elle assez de se faire punir en classe parce qu'elle ne sait pas s'arrêter de rire à temps?

Non, ce n'est pas ça. C'est bien pire. Sylvie a un problème. Un grave problème, que la plaisanterie de Ludovic vient de lui rappeler douloureusement. Un problème dont elle ne parle jamais à personne parce que, rien qu'à y penser, elle a envie de vomir.

Voilà : Sylvie n'aime pas les brocolis. Elle déteste les brocolis, elle a HORREUR des brocolis! Le simple mot « brocoli », prononcé à côté d'elle, lui fait instantanément pousser des boutons sur la figure.

Et encore, ça, ce n'est rien. Les vers de terre, par exemple, elle ne les aime pas non plus, pas plus que les araignées ou les sauterelles. Seulement les vers de terre, les araignées ou les sauterelles, elle n'est pas obligée d'en manger. Tandis que les brocolis, c'est une autre histoire. Ses parents en font au moins deux jours par semaine et ils l'obligent à en manger une pleine assiette à chaque fois.

L'un de ces tristes jours est le lundi, justement, et ce soir, il y aura des brocolis pour le souper. Des brocolis énormes, infects, fumants, qu'elle devra avaler jusqu'au dernier avant d'aller se coucher !

Sylvie en a la nausée.

— Quel idiot, ce Ludo, pense-t-elle amèrement. Il m'a gâché ma journée. Ce n'est pas possible ! Ce n'est pas juste ! Il n'y a donc pas une loi pour interdire les brocolis ?

2

PIZZA CONTRE BROCOLIS

Sur le chemin de la maison, le soir même, Sylvie se demande par quel miracle elle pourrait échapper au supplice bi-hebdomadaire des brocolis.

Elle y a déjà pensé mille fois, elle a envisagé mille solutions, mais en vain. Que faire ? Ses parents sont beaucoup plus forts qu'elle, elle n'est pas de taille à lutter contre des adultes.

Se sauver de la maison ? C'est impossible. Où irait-elle ? Elle n'a personne chez qui aller, et aucune envie de dormir dehors.

Changer de parents? Mais avec qui? Laquelle de ses amies voudrait de parents maniaques du brocoli? Quant à en acheter de nouveaux, inutile d'y songer. Ça doit être hors de prix et elle n'a pas d'argent.

Faire semblant d'être malade, peut-être? Hélas! Elle a déjà essayé, bien sûr. Plusieurs fois. Mais ça n'a jamais marché.

Au contraire, ses parents ont trouvé intelligent de lui dire que, quand on est malade, c'est justement à ce moment-là qu'on a le plus besoin de manger des brocolis! Et hop, double ration! L'horreur!

À croire que les brocolis guérissent de toutes les maladies, de toutes les misères. C'est bien ce que pense sa mère, d'ailleurs. Elle l'affirme inlassablement. Ce soir encore, à table:

— Les brocolis, c'est idéal pour la santé. On devrait en manger plus souvent.

— Beuh…, fait Sylvie.

— Mange, ma chérie, mange. C'est pour ton bien.

— Mais je vais bien, maman. Ce n'est peut-être pas la peine…

— C'est pour ton bien futur, reprend-elle. Il y a tellement de maladies qui nous guettent. Mais si tu ne meurs pas d'un cancer de l'intestin, un jour, plus tard, c'est parce que tu auras mangé assez de brocolis étant petite. Et tu m'en remercieras.

— Les brocolis guérissent du cancer ? fait Sylvie en haussant les épaules. Quelle blague !

— Tu as tort de rire, gronde sa mère. C'est absolument vrai. Tiens, je vais t'en remettre un peu…

Aussitôt, Sylvie se raidit et met ses mains sur son assiette en hurlant :

— Non, non ! J'en ai assez ! Je vais très bien, je ne suis pas malade !

Soudain, une idée lui traverse l'esprit. Une idée anti-brocoli. Elle se calme, se tient bien droite sur sa chaise et déclare posément :

— De toute façon, pour la santé, il vaut mieux manger de la pizza. C'est beaucoup plus efficace.

— Qu'est-ce que tu racontes là ? intervient son père. Où es-tu allée chercher une histoire pareille ?

— Ce n'est pas une histoire, précise Sylvie. C'est la vérité. Les brocolis sont peut-être bons contre le cancer, mais la pizza, c'est absolument radical contre les accidents de voiture !

— La pizza contre les accidents de la circulation ! s'exclame son père en éclatant de rire. Vraiment, on aura tout entendu ! Qu'est-ce que c'est que cette nouvelle invention ?

— Ce n'est pas une invention, reprend Sylvie avec sérieux. C'est tout ce qu'il y a de scientifique.

— Scientifique, murmure sa mère en secouant la tête. Voilà autre chose. C'est ça qu'on vous apprend à l'école ? Comment serait-ce possible ?

— C'est pourtant simple, explique Sylvie. Est-ce que vous avez déjà entendu parler d'un accident de la route causé par une pizza ?

— Euh, non, jamais, bien sûr que non, bredouillent les parents, qui ne comprennent pas où leur fille veut en venir.

— Eh bien, c'est la preuve, non ? s'écrie Sylvie, victorieuse. La pizza n'est responsable d'aucun accident de voiture. La pizza, c'est donc le plus sûr moyen de rester en vie sur une route. Ah ! La pizza, c'est autrement plus puissant que les brocolis !

Estomaqués par ce raisonnement, les parents ne trouvent rien à répondre sur le moment et Sylvie croit que la partie est gagnée.

Mais son père se ressaisit très vite. C'est malin, un père de famille, c'est capable d'échapper à tous les pièges, même les plus tordus. Ça ne fait presque jamais la vaisselle…

— D'accord, dit-il avec un fin sourire. Les pizzas ne provoquent pas d'accidents, tu as raison sur ce point. Mais les brocolis non plus, tu seras bien d'accord avec moi ! Les brocolis sont donc aussi forts que la pizza. En plus, ils sont excellents pour l'estomac. Par conséquent, tu peux finir ton assiette sans crainte. Tu te réveilleras demain dans ton lit, et en bonne santé.

— D'ailleurs, ajoute sa mère pour enfoncer le clou, les haricots verts non plus ne provoquent pas d'accidents de voiture. En veux-tu un peu?

— Ou des épinards…

— Ou des choux de Bruxelles…

— Ou des pousses de bambou…

Assez! Sylvie baisse la tête sans répondre. C'est raté! Encore raté! Et une fois de plus, la rage au cœur, l'estomac sens dessus dessous, elle doit avaler jusqu'au dernier ces répugnants légumes qui ressemblent à des moisissures géantes et sentent le pet de chien.

3

UNE MACHINE À MANGER LES BROCOLIS ?

Ce soir-là, dans son lit, Sylvie a du mal à trouver le sommeil. En plus de ses brocolis, elle rumine de sombres pensées tandis que son estomac fait des tas de bruits désagréables.

— Quand je pense que l'homme a inventé des machines pour aller dans l'espace, se dit-elle, et d'autres pour faire les additions, ou la vaisselle, ou la lessive.

En fait, elle se rend compte qu'il existe des machines pour presque tout. C'est ça, le progrès, son père le lui a assez répété : inventer et fabriquer des appareils qui peuvent faire le travail des gens à leur place.

Oui, c'est bien joli, tout ça. Il y a les ouvre-boîtes électriques, les ascenseurs, les moissonneuses-batteuses et les ordinateurs, c'est vrai. Mais question cuisine, zéro ! On en est toujours à l'âge des cavernes !

Depuis des milliers d'années, des millions peut-être, c'est toujours le même refrain : mettre des choses dans sa bouche, les mâcher et les avaler. Et quelles choses, parfois !

Bon, quand c'est de la pizza ou de la crème au chocolat, d'accord. Mais les légumes ? Les brocolis, surtout ! Qu'a-t-on fait pour les brocolis ? Est-ce qu'on n'aurait pas pu inventer un appareil qui puisse les manger à notre place ? Ça, ce serait un vrai progrès !

Cette idée excite beaucoup Sylvie, et elle n'a plus du tout envie de dormir. Une

machine à manger les brocolis! Bien sûr! Comment n'y a-t-on pas pensé plus tôt? Pourtant, ça vaudrait au moins un prix Nobel!

Seulement voilà. Inventer une machine pareille, c'est plus facile à dire qu'à faire. Et puis, si personne n'y a songé jusqu'à aujourd'hui, c'est que ça ne doit pas être à la portée du premier venu.

Quel genre de machine, d'ailleurs? Une grosse, qui trônerait au milieu de la table pour le repas du soir? Une machine imposante avec des tuyaux partout, des cheminées, des pistons et une gueule béante?

On enfournerait dedans d'énormes cuillerées de brocolis verdâtres et nauséabonds et, pendant ce temps-là, les enfants pourraient se gaver librement de pizza et d'autres choses succulentes…

Non, impossible. Jamais les parents n'accepteraient une chose pareille. Il faudrait plutôt une machine minuscule, discrète, que Sylvie pourrait dissimuler dans sa poche pendant le souper, et qu'elle ferait fonctionner sans qu'ils la voient.

Oui, mais alors il y aurait un autre problème. Comment faire avaler une pleine assiette de brocolis à une machine grosse comme une calculatrice de poche ?

— Vraiment, c'est insoluble, se dit Sylvie.

Et elle se tourne et se retourne dans son lit, extrêmement agitée. Est-elle donc condamnée à manger des brocolis jusqu'à la fin de ses jours ? C'est désespérant.

4

LA CONSPIRATION DES BROCOLIS

Sylvie a survécu à la nuit. Elle a même retrouvé le sourire, en se levant, quand sa mère lui a promis que ce soir, il y aurait de la pizza au menu.

Plus tard, à l'école, elle retrouve Ludovic. Contrairement à son habitude, celui-ci est plutôt de mauvaise humeur. À peine arrivé, il jette son sac dans un coin de la cour et ne répond à personne quand on lui parle.

Sylvie s'approche de lui.

— Hou là ! fait-elle en lui tapant sur

l'épaule. Tu en fais, une tête ! Tu as l'air de quelqu'un qui aurait mangé des brocolis !

Ludovic sursaute, comme si un pétard venait d'exploser sous ses pieds.

— Qu'est-ce que tu dis ?

Sylvie est un peu surprise par la brusquerie de cette réaction. Sa remarque n'était pas méchante, pourtant. Pas du tout.

— Je dis que tu as la tête de quelqu'un qui aurait mangé des brocolis, répète-t-elle alors en détachant bien les syllabes.

Ludovic la regarde longuement sans rien dire, puis il baisse les yeux.

— Ça… ça se voit donc tant que ça ? murmure-t-il d'un ton lugubre. C'est horrible…

Sylvie comprend tout à coup. Son sourire disparaît. Pauvre Ludo, pense-t-elle.

— Toi aussi, alors ? dit-elle à voix basse. Tes parents t'ont obligé à en manger, n'est-ce pas ?

— Oui. Hier soir. Et le pire, c'est que je

vais devoir en manger d'autres. Ils ont décidé que les brocolis, c'était bon pour la
santé, et que si je n'en mangeais pas, je
tomberais malade… Tu te rends compte !
Des brocolis pour le restant de mes jours.
Je me demande si ça vaut encore le coup de
vivre…

Sylvie hoche la tête. Elle se sent soudain
très proche de son ami, comme s'ils étaient
jumeaux, comme s'ils partageaient le
même secret effrayant, comme s'ils avaient
fait la guerre ensemble…

— Décidément, c'est partout pareil,
soupire-t-elle. Ils sont impitoyables, ils sont
plus forts que nous. Les brocolis, c'est vraiment l'arme absolue….

— Oui, approuve amèrement Ludo. Ils
sont partout. Il n'y a pas moyen d'y échapper…

— C'est même pire que ça. Je crois
bien que les brocolis mènent le monde…

— Dire qu'il y des gens qui croient aux
petits hommes verts. Quels naïfs ! Ce n'est

pas d'une autre planète qu'il vient, le danger. Il est déjà là. Il est parmi nous. C'est la conspiration des brocolis !

— Tu as raison. Les petits hommes verts ! Quelle blague ! Ce sont les brocolis qui sont verts !

— Et les haricots…

— Et les choux…

— Et les épinards…

Les deux enfants secouent tristement la tête à l'évocation de ces armées sournoises de verdures infernales qui les encerclent de toute part. Ils les voient rampant déjà tout autour d'eux, ils croient même sentir leur odeur répugnante se répandre dans la cour de l'école…

— Si seulement quelqu'un d'autre pouvait les manger à notre place, conclut enfin Ludovic. Dire que je n'ai même pas de chien !

— Ça ne servirait à rien, dit Sylvie. Les chiens non plus n'aiment pas les brocolis.

— Un chat, alors ?

— Franchement, Ludo ! Tu t'imagines faisant avaler des brocolis à un chat ? Tu n'y es pas du tout ! Un chat, ça fait généralement le contraire de ce qu'on veut.

— Ni chien ni chat, soupire Ludo. Alors, c'est sans espoir. On ne peut tout de même pas se faire aider par des poissons rouges.

— Non, approuve Sylvie. Ou alors, il faudrait avoir un requin-baleine dans son aquarium. N'y pensons plus…

— Il faut pourtant bien y penser. Sinon, qui d'autre mangera les brocolis à notre place ?

Sylvie sursaute. Cette remarque vient de faire tilt dans son cerveau. Elle lui remet en mémoire ses pensées de la nuit.

Après un silence, elle prend un air mystérieux et prononce d'une voix grave :

— Ce n'est pas quelqu'un qu'il nous faut. C'est quelque chose…

— Qu'est-ce que tu veux dire ?

— Ce qu'il faudrait, c'est avoir une

machine à manger les brocolis. Elle les mangerait à notre place. Tu te rends compte ! On serait enfin libres de manger ce qu'on veut, et seulement ce qu'on veut !

— Oui, fait Ludovic, songeur. Ça, ce serait le paradis. Tu imagines un peu ? Plus de brocolis !…

Ils se taisent un instant. Un sourire béat illumine leurs lèvres. Ils rêvent de pizza, de truffes au chocolat et de ciel bleu…

— Mais dis-moi, reprend enfin Ludovic. Cette machine, tu crois qu'elle existe ?

— Non, malheureusement, répond Sylvie tristement. Il va falloir l'inventer.

— Mais qui va le faire ?

— Sûrement pas les adultes, en tout cas. Ils sont les alliés des brocolis. Ils travaillent pour eux, pas contre eux.

— Qui, alors ?

Sylvie reste silencieuse un moment, le front barré d'une longue ride, comme si elle réfléchissait intensément. Puis elle reprend d'une voix sourde :

— Nous. Nous-mêmes. Il n'y a pas d'autre solution.

5

BROCOLIS ET INVENTEURS

C'est fait. Sylvie et Ludovic construiront une machine à manger les brocolis.

C'est un projet grandiose et très ambitieux. Entre deux classes, ils se mettent donc à y réfléchir sérieusement.

Ce n'est pas simple. Ils n'ont pas de méthode, pas d'expérience. Ils ont regardé à « brocoli » dans le dictionnaire, mais ils n'y ont trouvé aucune indication utile pour la construction de l'appareil.

Brocoli, n.m. Variété de chou-fleur non pommé à longue tige, originaire d'Italie.

Chou-fleur non pommé ? Originaire d'Italie ? C'est bien joli, comme définition, mais ça ne les avance pas à grand-chose !

Ils ont aussi consulté le *Grand Livre des inventions de tous les temps,* sans plus de succès. Ce livre parle d'un tas d'inventions inutiles, comme la bombe atomique, le nœud de cravate ou la machine à rouler les cigarettes, mais il ne dit pas un mot sur les brocolis, et encore moins sur les moyens de s'en débarrasser.

Ils vont donc devoir tout inventer tout seuls, comme les premiers hommes, ceux des cavernes, qui n'avaient pas de livres du tout, même pas le *Livre des records.*

Tiens, quand ils ont voulu inventer l'eau chaude, par exemple. Ça n'a pas dû être simple, l'invention de l'eau chaude : où pouvaient-ils brancher la prise de la bouilloire électrique puisque, à l'époque, il n'y avait même pas d'électricité ?

Décidément, l'affaire s'annonce diffi-cile. Inventer, inventer, c'est vite dit. Comment fait-on pour inventer des choses ? On n'apprend pas ça, à l'école. Quant aux parents, c'est perdu d'avance. Ils sont contre les inventions, c'est bien connu. Essayez un peu, vous verrez…

Sylvie et Ludo se replongent donc dans d'autres livres, pour voir à quoi ressemblent les inventeurs et essayer de faire comme eux.

C'est décevant ! Les inventeurs sont en général de vieux messieurs avec une blouse blanche, des cheveux blancs qu'ils ne peignent jamais et une barbe blanche à peu près longue comme ça.

De plus, ils sont terriblement distraits. Un inventeur, ça se lave les dents avec le tube de sauce tomate et ça met le dentifrice sur les œufs durs. Ou bien ça tourne son café avec un stylo à plume et ça essaie d'écrire avec une petite cuillère…

Non, vraiment, ni Sylvie ni Ludovic n'ont le profil du véritable inventeur. Peut-être qu'avec une perruque et de la farine ?

Ce n'est pas sérieux, bien sûr. Se déguiser en inventeur, ce n'est pas suffisant. Des millions de gens achètent les mêmes chaussures que Michael Jordan, le même short que Michael Jordan et le même ballon que Michael Jordan, mais ils ne deviennent pas pour autant des champions de basket-ball.

Que faire, alors ? Par où commencer ?

— Voyons, dit Ludovic. Une machine, c'est quoi, dans le fond ? C'est fait de tout un tas de pièces qu'on a ficelées ensemble. Ce qu'il faudrait peut-être, pour commencer, c'est ramasser le plus possible d'éléments utiles. Ensuite seulement on essaierait de les assembler.

— Bonne idée, mais quel genre d'éléments ? Comment savoir lesquels seront utiles et lesquels ne le seront pas ? On ne peut pas ramasser n'importe quoi au hasard.

— Bien entendu, approuve Ludovic. Il faut réfléchir. Voyons. Une machine qui

mange, je suppose qu'elle doit avoir besoin
d'une bouche…

— Et de dents…

— Et d'un estomac…

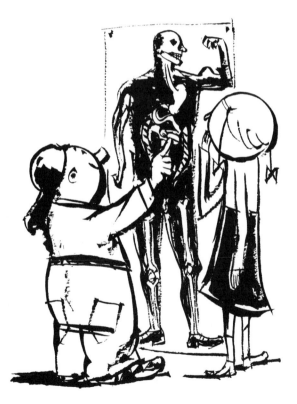

— Oui, bien sûr, conclut Sylvie en se-couant la tête. Mais où penses-tu trouver ce genre de pièces de machine ? Un estomac ! Nous ne pouvons tout de même pas dé-couper quelqu'un en petits morceaux pour prendre ses organes. Tu te prends pour Frankenstein ?

— Il ne s'agit pas de se procurer de vrais organes, répond Ludo en haussant les épaules. Cette machine sera plutôt une sorte de robot, il faudra donc la construire avec du métal, du plastique, des fils élec-triques…

— Tu en as de bonnes, toi. Tu as déjà vu ça, des estomacs en plastique ou en métal ? Où penses-tu qu'on va dénicher des choses pareilles ?

— Quand on cherche, on trouve, af-firme Ludovic. Écoute, on y pense pendant toute cette semaine, on fouille, on ramasse et, samedi, on se rencontre chez moi pour faire le point. D'accord ?

Sylvie réfléchit un instant. Elle est un

peu découragée mais, convaincue par l'assurance de son ami, elle dit enfin :

— D'accord. De toute façon, on n'a pas le choix : c'est les brocolis ou nous.

6

L'ESTOMAC

Revenue chez elle, le soir, Sylvie reste longuement assise à son bureau, rêveuse, faisant semblant d'être occupée à ses devoirs.

Ses parents sont contents de la voir aussi studieuse.

— Ah, les légumes verts, pensent-ils. Il n'y a rien de tel pour faire fonctionner le cerveau.

Sylvie, elle, aimerait bien que son cerveau fonctionne plus vite, justement. Des dents, un estomac, ça ne se trouve pas sous le sabot d'un cheval, comme disait son grand-père.

Soudain, elle est interrompue dans ses réflexions par une impression désagréable. Elle se sent envahie par une sorte de malaise, comme si l'atmosphère se remplissait sournoisement d'un gaz empoisonné. On dirait que ça vient de la cuisine…

Mais oui, bien sûr, c'est ça ! Cette odeur infâme, elle ne la connaît que trop bien. C'est celle des brocolis en train de cuire ! Le supplice est en marche ! Elle se sent devenir toute verte, comme… mais oui, comme un brocoli !

C'est vraiment trop atroce ! Il faut arrêter ça, il faut construire cette machine coûte que coûte ! Et si les idées ne sortent pas de sa tête toutes seules, elle est prête à aller les chercher avec une petite cuillère, qu'elle introduira dans ses oreilles…

Pour l'instant, il faut surtout échapper à cette puanteur abominable. Sylvie se lève, traverse le jardin pour gagner le garage et s'y réfugie, en attendant l'instant fatidique où ses parents vont crier :

— À table !

Là, dans la délicieuse odeur d'essence et de moisi, elle se met à fureter parmi le bric-à-brac de son père. Après tout, on ne sait jamais, peut-être trouvera-t-elle un objet qui pourrait ressembler à un estomac…

Il y a de tout, dans ce garage, des vieux pneus, des chaussures de ski dépareillées, un vieil hippopotame en plâtre… On y trouve même, sur une table à dissection, une machine à coudre et un parapluie !

— C'est beau, pense Sylvie sans trop savoir pourquoi…

Mais, entre la tondeuse à gazon, le tuyau d'arrosage et le barbecue, elle ne voit rien qui puisse servir à la construction d'une machine à manger les brocolis.

Elle finit donc par rentrer à la maison, un peu découragée, se demandant

comment font les inventeurs pour avoir des idées géniales. Ce n'est pas encore ce soir qu'elle échappera aux brocolis…

Le samedi matin, elle n'a toujours rien trouvé, rien qui puisse servir à la construction d'une machine à manger les brocolis. C'est les mains vides et la mort dans l'âme qu'elle se rendra chez Ludovic cet après-midi.

Tristement, elle sort de sa chambre et se rend à la cuisine pour déjeuner.

Sa mère ne l'entend pas arriver. Elle est en train de passer l'aspirateur juste à côté, dans le salon, et un bruit infernal règne dans les deux pièces. Lorsqu'elle l'aperçoit enfin, elle lui crie :

— Sylvie, j'aimerais bien que tu ne laisses pas traîner tes jouets partout dans le salon. Tant pis pour toi s'il y en a qui disparaissent, l'aspirateur n'en fera qu'une bouchée !

Sylvie s'immobilise dans l'encadrement

de la porte, pétrifiée. Sa mère, la voyant ainsi, se radoucit et reprend en souriant :

— Allons, ne fais pas cette tête, ma chérie. Tu sais bien que je ne vais pas les avaler pour de bon, tes jouets. Je voudrais simplement que tu sois un peu plus soigneuse, c'est tout…

Elle se trompe complètement sur l'émotion qui vient de s'emparer de sa fille. Ce n'est pas la perte éventuelle de quelques jouets sans importance qui a produit cet effet sur elle. Ses jouets, c'est bien le cadet de ses soucis, en ce moment.

Ce que Sylvie regarde fixement, le cerveau en ébullition et les yeux exorbités, ce ne sont pas ses jouets : c'est l'aspirateur, cette bruyante et impitoyable machine qui avale sans autre forme de procès tout ce qui a échoué sur le tapis.

Bien sûr ! C'est évident ! Qu'est-ce donc qu'un aspirateur sinon une bouche dévorante, un estomac jamais rassasié qui se jette sur tout ce qui passe à sa portée !

Sans répondre à sa mère, sans même prendre le temps de déjeuner, Sylvie sort de la maison et se précipite dans le garage.

Elle sait qu'il s'y trouve quelque part, derrière un amoncellement de vieilleries sans intérêt, un antique aspirateur qui marche encore mais que sa mère n'utilise plus depuis longtemps.

Elle se met à farfouiller et finit par le retrouver ; ensuite, elle l'emballe rapidement dans un grand sac en plastique et fonce dans sa chambre pour l'y cacher. Sylvie est toute rouge d'excitation, rouge comme un aspirateur neuf…

Il y a de quoi : voici enfin le premier élément de la future machine à manger les brocolis, l'élément essentiel, l'organe principal de la machine : l'estomac !

7

LES DENTS ET LA BOUCHE

Tout au long de la matinée, Sylvie ne se sent plus d'impatience. Pour un peu, à midi, elle aurait avalé des haricots verts sans s'en rendre compte.

Enfin, en début d'après-midi, elle se rend chez Ludovic avec son précieux chargement sur le dos. Aussitôt arrivée, elle s'empresse d'annoncer la bonne nouvelle à son ami.

— Ça y est ! s'écrie-t-elle. J'ai l'estomac !

Et elle lui fait part de sa trouvaille du

matin. Ludovic applaudit lorsque Sylvie ouvre enfin le sac et dévoile le vénérable aspirateur qui a au moins trois fois leur âge.

— Magnifique, murmure-t-il en contemplant l'engin.

Ludovic est vraiment content, c'est sûr, mais il ne peut quand même pas s'empêcher d'être un peu jaloux. Du coup, il n'ose pas montrer à Sylvie ce qu'il a trouvé lui-même.

Ludovic, en effet, n'est pas sorti bredouille de ses recherches. Lui aussi, il a rassemblé quelques éléments pour la construction de la machine. Cependant, il hésite, remuant nerveusement sa main dans sa poche.

— Et toi? interroge enfin Sylvie. Tu as quelque chose?

— Euh, oui, bafouille Ludo. Enfin, je crois…

— Comment, tu crois! Tu as ou tu n'as pas? Qu'est-ce que tu tripotes, dans ta poche?

Ludovic est un peu embarrassé mais, pressé par Sylvie, il finit par céder et sort lentement la main de sa poche.

— Voilà, dit-il à voix basse.

Ouvrant lentement la main, il exhibe un peu piteusement une fourchette tordue, un peigne édenté et une râpe à fromage.

— Qu'est-ce que c'est que ça ? fait Sylvie, stupéfaite.

— Ben, les dents de la machine, voyons, répond Ludovic en regardant par terre et en tortillant ses pieds. Toi tu as l'estomac, moi j'ai les dents. Il ne manque plus que la bouche, en somme.

Sylvie a envie de rire, mais elle se rend compte que ce n'est pas le moment : ils sont en guerre, une guerre sans merci contre les brocolis.

Après tout, Ludo a raison. Ils ont les dents et l'estomac, il ne reste plus qu'à trouver la bouche.

— Ça, ce sera plus difficile, observe Sylvie. Une bouche, ça doit pouvoir mordre, mâcher, avaler. Ça doit pouvoir bouger tout seul…

Les deux amis restent silencieux. La bouche, c'est tout un problème. La bouche, c'est l'organe le plus important du corps.

C'est par la bouche qu'on boit, qu'on mange et qu'on parle. Autant dire que, sans la bouche, l'existence n'aurait plus beaucoup de goût !

— Écoute, dit enfin Ludovic. Notre machine, elle n'aura pas besoin de parler. On ne lui demandera pas de faire des commentaires ou de réciter des proverbes chinois. Il suffit qu'elle avale. Sans mâcher…

— Comme un chien ?

— Comme un chien…

Sylvie regarde par terre, l'air perplexe. Elle ne se voit pas en train de couper la tête à un chien pour l'enfiler sur l'embout de l'aspirateur.

— Un chien, un chien, fait-elle au bout d'un moment, je ne sais pas si c'est une bonne idée. Je n'ai jamais vu un chien manger des brocolis. Ça ne marcherait pas…

— C'est vrai, admet Ludovic. Mais il n'y a pas que les chiens qui avalent sans mâcher, on peut trouver d'autres modèles. Disons… les boas, par exemple.

— Les boas ? C'est vrai que les boas ressemblent un peu à des tuyaux d'aspirateur, mais eux non plus, que je sache, ils ne mangent pas de brocolis.

— Les pélicans, alors, lance Ludovic. Les pélicans ont une bouche gigantesque, extensible, ce serait l'idéal.

— Ça ne va pas non plus, fait Sylvie en secouant la tête. Les pélicans ne mangent que du poisson.

— C'est sans solution, alors ! s'exclame Ludovic. Qui pourrions-nous trouver qui mange des brocolis. Ce n'est pas humain, ni même animal ! Il faut être un cochon pour faire une chose pareille !

Sylvie relève brusquement la tête. Un cochon ? Mais oui, bien sûr. Ça mange de tout, un cochon, et en grosses quantités.

Le visage de Sylvie s'éclaire, et Ludovic comprend à son tour. Les deux complices se regardent maintenant avec un sourire en coin.

Il leur est venu la même idée : dans la classe de sciences naturelles, à l'école, il y a un crâne de cochon, tout blanc, avec sa mâchoire articulée que les élèves s'amusent parfois à manœuvrer en faisant « grouink

grouink » quand le professeur a le dos tourné.

C'est l'objet idéal pour leur projet. Il ne reste plus qu'à le dérober. Ce sera le but d'une prochaine expédition.

Leur plan est complet, maintenant. Les brocolis n'ont qu'à bien se tenir !

8

TÊTE DE COCHON

Dès le lundi, durant la récréation, Sylvie et Ludovic tentent de mettre au point un plan d'attaque. Voler une tête de cochon, ça n'a l'air de rien, mais ce n'est pas si facile que ça.

C'est gros, une tête de cochon, ça ne tient pas dans un sac d'écolier, encore moins dans une poche. Et puis il y a toujours quelqu'un, dans la salle de sciences. Comment faire disparaître discrètement une chose aussi encombrante?

Voyons. Dans les livres, pour voler un

tableau ou une statuette précieuse, les voleurs se font enfermer un soir dans le musée et ils ressortent tout tranquillement par une fenêtre, en pleine nuit, avec leur butin sous le bras.

Se faire enfermer le soir dans la salle de sciences ? Sylvie et Ludovic se regardent en faisant la grimace. L'idée de passer la nuit seuls dans cette pièce remplie d'objets bizarres ne les enchante pas. Mais la perspective de manger des brocolis ne leur sourit pas davantage.

— Écoute, dit Ludo à voix basse. On n'a pas besoin d'y passer la nuit. Il n'y a qu'à se cacher dans un des placards et, le soir, quand tous les professeurs seront partis, nous sortirons à notre tour, avec le crâne du cochon.

— Mais qu'est-ce que tu vas dire à tes parents, quand ils te verront arriver chez toi à la nuit tombée ? objecte Sylvie. Et tu crois qu'ils n'auront pas déjà averti la police de ta disparition ?

— Mais pourquoi parles-tu de MES parents et de MA disparition ? fait Ludo. Tu ne penses pas que je vais y aller tout seul, tout de même ?

— Ce serait le mieux, pourtant. Comme ça, on pourrait dire à tes parents que tu es chez moi pour la soirée et ils ne s'apercevraient de rien.

— Eh bien, puisque c'est ton idée, pourquoi n'irais-tu pas toi-même ?

— Ah non ! s'exclame Sylvie. C'est TON idée !

— Pas du tout ! C'est la TIENNE !

Sylvie et Ludo se font face, les poings serrés. Ça s'annonce mal, cette expédition.

— Écoute, fait finalement Sylvie. Jouons ça à pile ou face. C'est le sort qui décidera.

— D'accord, admet Ludovic. Je prends face.

— Et moi pile.

Sylvie sort une pièce de sa poche et la

lance. La pièce tournoie dans l'air et tombe, roulant sur le sol. Enfin elle s'immobilise. Les deux joueurs se précipitent.

— Pile ! s'écrie Ludo, soulagé. C'est toi qui iras !

Sylvie ne dit rien. Son front s'assombrit, mais elle ne peut pas se rétracter puisque c'est elle-même qui a proposé cet arrangement.

La mort dans l'âme, elle convient donc que, ce soir même, elle se laissera enfermer dans l'école tandis que Ludo racontera à ses parents qu'elle est allée chez lui pour qu'ils fassent leurs devoirs ensemble. Ça paraîtra logique, Ludo habite à mi-chemin entre l'école et la maison de Sylvie.

Le reste de la journée est plutôt triste pour Sylvie, qui voit avec angoisse approcher l'heure de la fin des classes. C'est bien la première fois qu'elle trouve que le temps passe trop vite à l'école !

Enfin, la dernière sonnerie ayant retenti, Sylvie va s'enfermer dans la cabine du fond de la salle des toilettes des filles et l'attente commence.

C'est long. Bigrement long, d'attendre comme ça que le temps passe quand il n'y a rien d'autre à faire que respirer en silence pour ne pas attirer l'attention.

Au début, tant qu'il y a de l'agitation dans l'école, ça va encore, mais ensuite, quand elle n'entend plus qu'un pas inconnu résonner dans le couloir, ou quand l'équipe de nettoyage arrive avec ses balais et ses seaux en faisant un bruit de tous les diables, Sylvie commence à se sentir mal à l'aise.

Soudain, la porte de la salle des toilettes s'ouvre dans un tintamarre métallique. Sylvie se recroqueville dans sa cabine. Lorsqu'elle aperçoit le balai à franges aller et venir avec des grands floc floc floc devant la porte, elle grimpe sur la cuvette pour qu'on ne puisse pas voir ses pieds de l'extérieur.

Perchée sur ce trône blanc, Sylvie transpire à grosses gouttes. Elle aura l'air malin, si on la découvre maintenant. De toute façon, ça ne va pas tarder. Le balayeur ouvre une par une les portes des autres cabines pour nettoyer à l'intérieur. L'une après l'autre, les portes se referment.

L'homme balaie maintenant l'avant-dernière. Sylvie entend son souffle épais. Puis la porte se referme. Déjà, une main se pose sur la poignée, la tourne. Bien sûr, la porte est fermée de l'intérieur, mais l'homme doit avoir un passe-partout ! Ça y est, c'est fini ! Sylvie va être découverte ! C'est alors qu'une voix forte se fait entendre dans le couloir :

— Robert ! Viens donc voir un peu ici !

La poignée se relâche. Robert s'éloigne en maugréant et en traînant les pieds. C'est sans doute son chef qui l'a appelé pour lui donner quelque chose de plus urgent à faire. Sauvée !

C'est le moment d'en profiter. Sylvie hésite un moment puis, surmontant sa peur, elle sort rapidement de sa cabine,

fonce dans une autre déjà propre et s'y en-
ferme. Elle a à peine poussé le loquet que,
déjà, Robert revient et reprend son travail.
Il était temps !

Plus d'une heure s'écoule encore avant
le départ de l'équipe de nettoyage, mais
cette heure paraît à Sylvie une éternité.
Puis, dans un silence total qui la rassure et
l'effraie à la fois, elle ose enfin sortir des toilettes.

Dans l'obscurité, Sylvie ne reconnaît
pas l'école. Elle a toujours vu ce couloir
brillamment illuminé et rempli de gens
bruyants. Seule dans le noir, elle a l'impression d'être tombée dans un autre monde.

Elle progresse à pas lents, rasant les
murs, le cœur battant à une vitesse folle.
Heureusement, la salle de sciences est toute
proche. Elle en pousse la porte, qui grince
lugubrement.

Ici, il fait moins noir. Dehors, il ne fait
pas tout à fait nuit, et une faible lueur filtre
par les baies vitrées. Sylvie se sent un peu

plus rassurée. Le crâne de cochon est là, juste devant elle, de l'autre côté des tables de classe.

Elle avance doucement, contourne les tables. Ça y est. Le crâne est à portée de main. Sylvie lève les bras pour s'en saisir.

Hélas, elle n'a pas le temps de terminer son geste : une sonnerie stridente, une véritable sirène se déclenche et emplit l'espace de son hurlement terrifiant.

Sylvie est paralysée par la terreur. Cette sirène abominable semble vouloir réveiller la terre entière. Que se passe-t-il ? La police ? A-t-on déjà donné l'alerte ? Ludovic l'a-t-il trahie ?

Non, c'est impossible. Curieusement, l'angoisse de Sylvie est telle que, par réaction peut-être, son esprit se met à réfléchir à toute vitesse.

— Cette sonnerie, se dit-elle, est celle de l'alarme. Les préposés au nettoyage ont dû l'activer en partant. Tant que j'étais immobile dans les toilettes, les détecteurs ne m'ont pas sentie. Dans le couloir non plus, sans doute, puisque je suis restée collée contre le mur. Mais dans cette pièce, évidemment…

Il n'y a pas de temps à perdre. Des policiers ou des gardiens vont certainement arriver au galop, il faut fuir au plus vite.

Alors, brusquement, Sylvie saisit à deux mains le crâne de cochon, le cale sous son bras et, son sac sur le dos, file vers la sortie la plus proche. Au bout du couloir, il y a une porte qui se pousse de l'intérieur et se referme automatiquement. Ça ne laissera pas de trace de son passage. Elle s'y précipite, la franchit, et les voilà dehors, elle et la tête de cochon.

9

PREMIERS ESSAIS

Dans la rue, Sylvie retrouve enfin le calme. Elle avance en regardant droit devant elle, le crâne de cochon sous son bras comme s'il s'agissait d'un ballon.

À peine est-elle arrivée au coin de la rue qu'elle voit une voiture s'approcher à vive allure. La voiture s'engouffre dans le stationnement de l'école, s'arrête dans un crissement de pneus, et un homme vêtu d'un blouson en jaillit. Ce n'est pas un policier, mais un employé de la compagnie de sécurité.

Peu importe. Sylvie hâte le pas et disparaît dans la rue. Lorsqu'elle arrive en vue de la maison de Ludo, elle n'a encore croisé personne, et personne n'a donc pu s'étonner de voir une enfant se promener à cette heure avec un crâne de cochon sous le bras.

Tout compte fait, le vol de ce crâne ne s'est donc pas si mal terminé. D'accord, on ne devrait peut-être pas dire d'un vol qu'il s'est bien terminé, puisque ce n'est pas bien de voler. Admettons. Mais franchement, voler un crâne de cochon, si c'est pour faire avancer la science, est-ce vraiment si grave ?

Sylvie se dit que, vu l'importance de l'enjeu — délivrer les enfants du pays entier de l'infâme obligation de manger des brocolis —, la réponse est non. Et puis, des cochons, il y en a partout. Le professeur de sciences retrouvera bien une tête…

C'est donc sans remords qu'elle arrive enfin chez Ludo ; bien plus, elle est fière d'avoir réussi un coup aussi difficile. Pourtant, le pire reste à venir. Comment ses parents auront-ils pris le fait que, à la nuit tombée, Sylvie ne soit pas encore rentrée. N'auront-ils pas appelé ceux de Ludo pour avoir des nouvelles ? Et ceux-ci, qu'auront-ils répondu ?

Sylvie s'arrête devant la porte. Du coup, elle n'ose même pas sonner. Heureusement, elle n'a pas besoin de le faire. La porte s'ouvre toute seule. C'est Ludo.

— Je t'ai vue arriver par la fenêtre, dit-il. Alors ? Tout a bien marché ? Tu en as mis, un temps !

— Si tu crois que ça a été facile ! J'aurais voulu t'y voir…

— Enfin, l'essentiel, c'est que tu aies le crâne, reprend Ludovic en désignant l'objet sous le bras de son amie.

— Oui, fait Sylvie en se rengorgeant. Au fait, dis-moi. Et mes parents ?

— Pas de problème, je leur ai téléphoné et dit que tu étais restée souper chez nous.

— Parfait, répond Sylvie en remettant

le crâne à Ludo. Alors j'y vais. Rappelle-les quand même pour leur dire que je suis en route. Euh… au fait, si jamais on me le demande, qu'est-ce qu'il y avait au menu ?

— Des brocolis.

Tous les deux éclatent de rire.

Maintenant que tous les éléments sont rassemblés, il faut passer à l'étape suivante.

Pendant le reste de la semaine, Sylvie et Ludovic s'ingénient à ramasser et à stocker clandestinement une impressionnante quantité de brocolis.

— Pour nos premiers essais, a dit Ludo, il faudra de la matière première. Les inventions, c'est bien joli, mais il faut les tester en laboratoire avant de les utiliser pour de bon.

Ils ont donc décidé de faire disparaître au fond de leurs poches, au cours des repas en famille, le plus de brocolis possible.

Leurs parents n'en reviennent pas. Ils sont sidérés de voir leurs enfants en

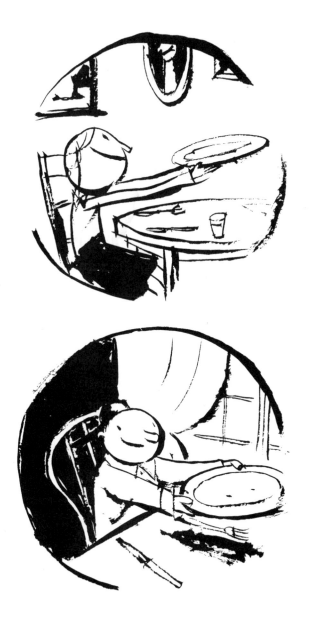

redemander à plusieurs reprises, contrairement à leurs habitudes.

— Eh bien ! disent chacune de son côté
la mère de Ludo et celle de Sylvie. On dirait
que tu y prends goût, aux brocolis. En
veux-tu encore ?

— Oui, oui, avec plaisir, répondent
d'une voix étranglée, chacun de son côté,
les deux enfants.

Ce que les parents ne savent pas, c'est
que les trois quarts de ces brocolis finissent
leur vie non pas dans l'estomac de leurs enfants, mais dans les poches de leurs panta-
lons.

La semaine est héroïque. Imaginez un
peu les brocolis cachés dans un vieux sac
de sport, sous le lit, et sentant toute la nuit,
et chaque nuit de plus en plus fort, jusqu'à
provoquer les pires cauchemars.

Effectivement, pendant ces quelques
nuits, Ludo et Sylvie rêvent qu'ils se noient
dans des marécages verts et pestilentiels à
saveur de brocolis, ou bien que des

monstres caca d'oie à l'haleine épouvantable les avalent et les digèrent parmi des puanteurs brocoliennes…

Quoi qu'il en soit, le samedi suivant, dans la cabane à outils située au fond du jardin de Ludovic, nos deux complices se retrouvent au milieu d'un assemblage hétéroclite formé d'un aspirateur, de peignes, de fourchettes, d'une râpe à fromage et d'un crâne de cochon, le tout baignant dans l'épouvantable odeur des brocolis froids qui commencent à pourrir.

Tout est prêt, tout est là, il n'y a plus qu'à construire la machine.

Plus facile à dire qu'à faire. Par où commencer ? Quelle forme générale donner à la dévoreuse de brocolis ? Faut-il l'équiper de pattes ou de roues, d'antennes, de lumières clignotantes ?

Très vite, Sylvie et Ludovic comprennent qu'il vaut mieux aller au plus simple. Tout ce qu'ils attendent de leur machine, après tout, c'est qu'elle avale des kilos de brocolis, pas qu'elle remporte un prix de beauté.

Ils se mettent donc au travail. Tout d'abord, il faut s'assurer que l'aspirateur fonctionne. Avec précaution, ils le branchent à l'une des prises du garage. Une pétarade assourdissante les fait sursauter. C'est comme si l'appareil avait mal au ventre et qu'il allait vomir toutes ses pièces sur le plancher !

— Attention, il va exploser ! s'écrie Ludovic en se jetant par terre.

— Mais non, sot, fait Sylvie. Il est un peu vieux, c'est tout. Comme la voiture de mon grand-père. C'est bruyant, ça tremble de partout, mais ça marche.

Ludovic se relève, légèrement vexé.

— Je le savais, dit-il avec un sourire gêné. C'était pour rire…

— Alors, au travail.

En silence, Sylvie et Ludovic se mettent à assembler leurs éléments selon un ordre qui leur semble logique.

Ils commencent par enlever le tuyau flexible de l'aspirateur, puis ils emmanchent le crâne de cochon sur l'embout. La mâchoire est maintenue béante par les peignes coincés au fond du gosier et, enfin, Sylvie et Ludovic fixent au palais et aux dents latérales les fourchettes et la râpe à fromage.

— Ils vont souffrir, les brocolis, fait Ludo avec un sourire diabolique. Ils vont se faire broyer, déchiqueter, réduire en purée…

— On essaie ? propose Sylvie, tout excitée elle aussi.

— Allons-y.

Cérémonieusement, ils avancent vers la gueule de la machine un vieux seau rempli de tous les brocolis qu'ils ont récupérés pendant la semaine. Ça sent atrocement mauvais.

Alors Sylvie branche l'aspirateur et Ludovic, armé d'une vieille louche, commence à enfourner les affreux légumes dans la gueule de cochon.

Un abominable bruit de succion se fait aussitôt entendre et les brocolis disparaissent en un clin d'œil dans les entrailles de la machine.

— Ça marche, ça marche ! s'écrie Ludo en sautant en l'air.

Sylvie s'apprête à l'imiter quand, tout à

coup, un bruit bizarre à l'arrière de la machine attire son attention.

— Un instant, dit-elle en s'approchant de l'appareil. Il y a quelque chose qui ne tourne pas rond, par ici.

Elle a à peine terminé sa phrase que, dans une sorte d'explosion molle et nauséabonde, une bouillie verdâtre jaillit des fesses de la mangeuse et se répand dans tout le garage.

— Idiots que nous sommes ! s'écrie Sylvie, le visage maculé de purée de brocolis. On a oublié de mettre un sac dans l'aspirateur !

10

LA MACHINE À L'ŒUVRE

Le mal a été réparé, non sans difficulté. C'est qu'il n'a pas été possible de trouver un sac d'aspirateur qui convienne à ce modèle ancien et démodé.

En fin de compte, Sylvie et Ludovic ont dû en fabriquer un sur mesure, avec un vieux short récupéré dans le panier de linge sale familial.

— C'est bien la première fois que je vois un aspirateur avec une culotte, a commenté Ludovic en éclatant de rire.

— Eh bien, tu n'as pas encore tout vu,

a dit Sylvie, qui vient de prendre une décision.

En effet, il lui est venu l'idée d'habiller toute la machine, pour lui donner un air plus civilisé. Une machine qui marche, c'est bien. Une belle machine, qui a de l'allure, c'est mieux. Ce n'est pas pour rien que les voitures sont bleues ou rouges, et pas grises.

La première avaleuse de brocolis se retrouve donc vêtue d'un vieux short bleu, d'une chemise à carreaux rouges trouée aux coudes et d'une casquette de base-ball à l'effigie des Expos. Et, pour masquer les orbites vides du crâne de cochon, ils l'affublent d'une vieille paire de lunettes de ski.

Le résultat est assez saisissant ! On dirait Garfield quand Jon le fait voyager en avion…

Une fois terminée, habillée, parée, bichonnée et baptisée — elle s'appellera *La Terreur des brocolis* —, la machine est finalement transportée chez Sylvie. C'est elle qui l'essaiera en premier car, dans sa famille, lundi c'est brocolis.

Si jamais ses parents posent trop de questions, la réponse de Sylvie est toute prête : il s'agit d'un prototype réalisé avec d'autres élèves de sa classe dans le but de présenter un robot au prochain concours scientifique de l'école. Un argument irrésistible…

Le soir fatidique, la dévoreuse de brocolis est donc enfin en place. Sylvie, rayonnante, l'a installée près d'elle. Son père a regardé la manœuvre d'un œil dubitatif. Il s'interroge, en contemplant l'assemblage farfelu qui trône à côté de sa fille comme s'il s'agissait d'un invité de marque.

— Et… hem… qu'est-ce que c'est que cette… *chose* ? demande-t-il.

— Quelle chose ? fait Sylvie d'un ton faussement innocent.

— Ce bric-à-brac, là, près de ta chaise. Ce tas de vieilleries, ce bastringue déglingué.

— Ah, tu veux parler de ma machine ?

dit Sylvie en continuant son jeu. Elle est belle, hein ?

— Euh… sûr qu'elle est belle, répond son père en plissant le nez. Splendide, épatante. Et… elle sert à quoi, exactement ?

— Tu m'as toujours dit que l'homme inventait des machines pour faire à sa place les tâches pénibles et nécessaires, n'est-ce pas ?

— Oui, oui, bien sûr.

— Et que c'était ça le progrès…

— Tout à fait.

— Eh bien moi, j'ai inventé une machine qui va faire à ma place ce que je déteste le plus au monde.

— Une machine à faire tes devoirs ? demande son père en éclatant de rire.

— Non, pas du tout, reprend Sylvie avec le plus grand sérieux. Beaucoup plus fort que ça. C'est une machine à manger les brocolis.

Du coup, son père cesse de rire. Une machine à manger les brocolis ? Il s'attendait à tout sauf à ça. Mais il est dévoré de curiosité. L'idée lui paraît tellement extraordinaire, tellement inattendue, tellement hilarante qu'il ne peut s'empêcher de demander :

— Une machine à manger les brocolis, dis-tu. Fantastique ! Et... ça marche comment ?

— C'est vraiment très simple, je vais vous montrer.

Sylvie se lève, va brancher l'étrange appareil, revient s'asseoir. Devant elle, son assiette pleine de brocolis fumants fait la grimace.

Alors elle appuie sur le bouton de mise en marche, approche de la table la gueule hérissée de dents de la machine pétaradante, et y enfourne à pleines fourchettes tout le contenu de son assiette.

En un clin œil, tous les brocolis disparaissent dans un concert de slurpshhhh et de vroummmmm assourdissants.

Les parents sont tellement surpris qu'ils

ne savent pas comment réagir. Ils sont partagés entre la colère de voir toute cette saine nourriture ainsi gâchée et une irrépressible envie de rire.

— Voilà un progrès définitif pour la santé et la gastronomie, annonce Sylvie avec superbe en éteignant la machine. Et maintenant, je prendrais bien mon dessert…

Les parents sont assez embêtés. Leur fille les a bien eus, avec ce gag, et ils ne peuvent quand même pas la punir pour avoir fait preuve d'imagination. Mais, d'un autre côté, peuvent-ils abandonner la partie et laisser leur fille se gaver de cochonneries tandis qu'elle donnera à sa machine tout ce qu'eux-mêmes jugent bon pour elle ?

Perplexes, ils regardent Sylvie se lever et se diriger triomphalement vers le frigo pour y prendre une glace au chocolat.

— J'ai gagné, j'ai gagné, se dit la fillette intérieurement, tout en réprimant une envie de chanter et de sauter en l'air. La victoire est totale ! C'est la fin des brocolis !

11

LA FIN DE LA MACHINE

Le lendemain matin, à l'école, le visage de Sylvie est pourtant celui de la défaite. À la fois rageuse et résignée, elle laisse tomber son sac près de l'entrée de sa classe.

— Qu'est-ce qui se passe ? lui demande Ludovic qui l'a aperçue de loin et vient aux nouvelles. Ça s'est mal passé ?

— Hmmmm…, bougonne Sylvie.

— La machine, insiste Ludo. Elle n'a pas fonctionné ?

— Oh, pour ça, lâche Sylvie d'une voix sourde, elle a marché. À merveille…

— Alors, pourquoi fais-tu cette tête ? Ne me dis pas que tes parents l'ont confisquée !

— Confisquée ? Au contraire ! À les entendre, ils voudraient même que je l'utilise tous les jours…

— Eh bien ! s'exclame Ludovic avec un vaste sourire. C'est gagné, alors !

— Tu ne comprends donc pas, s'écrie alors Sylvie avec colère. Tous les jours ! Ils veulent que je l'utilise tous les jours ! Et pas seulement pour les brocolis ! Pour tout ! Je n'ai plus qu'à mourir de faim !

— Pour tout ?

— Oui, tout. Ils m'ont dit que je pouvais garder la machine à condition de l'utiliser pour tout, y compris la pizza et le chocolat. Sinon, rien du tout !

— C'est la catastrophe, murmure Ludovic en baissant la tête. Comment ont-ils pu faire ça…

— Au début, j'ai pourtant bien cru qu'on avait gagné, reprend Sylvie. Ils n'en revenaient pas, de la machine. Ils n'ont même rien dit, pour les brocolis.

— Ça s'annonçait bien.

— Oui, tu peux le dire. Mais c'est quand j'ai voulu prendre de la crème glacée qu'ils ont réagi. Mon père a eu un de ses sourires en coin que je n'aime pas. Il a dit que la machine était extraordinaire, et il a ajouté que la glace devait prendre le même chemin que les brocolis.

— Mais alors…

— Alors, mets-toi bien ça dans la tête, Ludo : des brocolis, on en avalera jusqu'à l'indigestion. Les brocolis, ils sont comme les parents, ils finissent toujours par gagner. Ce sont les plus forts.

— Ce qu'il faudrait, c'est que nous soyons plus forts qu'eux. Plus grands. Inventer une machine à grandir, peut-être…

— C'est ce que j'ai pensé, fait Sylvie d'un air sombre. Mais mon père m'a dit que cette machine, elle existait déjà.

— Ah bon ! Et à quoi est-ce qu'elle ressemble ? Comment elle marche ? Il te l'a dit ?

— Oh oui, il me l'a dit…

— Alors ?… dit Ludovic, plein d'une espérance nouvelle.

— Alors ? lâche Sylvie en haussant les épaules. Cette machine, c'est notre estomac. Et il m'a dit qu'elle fonctionne quand on y met des brocolis…

Tous deux vont s'asseoir dans un coin, digérant amèrement leur défaite. Ludovic tripote nerveusement les stylos qu'il garde habituellement dans l'une de ses poches.

Tout à coup, l'un d'eux tombe à terre. C'est un effaceur d'encre. Ludovic pousse un grognement et tend la main pour le ramasser quand, soudain, il arrête son geste. Son visage a l'air illuminé.

— Qu'est-ce qui t'arrive? demande Sylvie. Tu es malade?

— Non, répond Ludovic, au contraire. Je crois que je tiens la solution.

— Tu veux dire que tu pourrais supprimer les brocolis?

— Non, non, ne rêve pas, tout de même, reprend Ludo en faisant jouer son effaceur entre ses doigts. Mais... que dirais-tu d'un effaceur de goût?

— Ou un transformateur, renchérit Sylvie tout en se redressant. Imagine un peu! Un sirop qui transformerait le goût des brocolis en saveur de pizza ou de chocolat !

Les deux complices se regardent en souriant.

— Génial, réplique Ludovic. Allez, dès demain, on se met au boulot.

— Tu as raison, conclut Sylvie. On finira bien par les avoir…

MISE EN PAGES ET TYPOGRAPHIE :
LES ÉDITIONS DU BORÉAL

ACHEVÉ D'IMPRIMER EN MARS 2000
SUR LES PRESSES DE L'IMPRIMERIE AGMV MARQUIS
À CAP-SAINT-IGNACE (QUÉBEC).